小木盒
XIAO MU HE

宝宝学说话

讲长故事

卫英霞 / 著　　丁一 / 绘

北京日报出版社

美美做客

美美到好朋友丽丽家做客。想一想，她都说了什么？

5

小狗的倒影

小狗叼着一根骨头过小桥，
可是骨头却掉进了小河里，
这是为什么呢？

我来帮忙

小莉莉长大了，可以帮家里做事了。

看一看，小莉莉都帮家里做了些什么事？

8

狐狸和鹤

狐狸请鹤吃饭，鹤为什么这么生气呢？

小鸡落水了

小鸡不小心掉进了水里，
怎么办？小鸡最后是怎么得救的？

15

巨人的花园

你知道自私的人会变得孤独，会变得不开心吗？想一想，
巨人后来为什么又变得开心了？

亲子共读 一起成长

故事名称	画面说明	亲子问答
美美做客	1. 美美到丽丽家做客，对丽丽说："你好！" 2. 美美对丽丽说："谢谢你！" 3. 美美对丽丽说："对不起！" 4. 美美对丽丽说："再见！"	妈妈：美美弄破了丽丽的什么东西？ 宝宝：一本书。 妈妈：美美是不是一个懂礼貌的小女孩？ 宝宝：是的。
小狗的倒影	1. 小狗叼着一根骨头跑上了一座小桥。 2. 小狗在桥中央看到了小河里自己的倒影。 3. 小狗生气地大叫，骨头掉进了小河里。 4. 小狗只好垂头丧气地回家了。	妈妈：小狗在桥中央看到了什么？ 宝宝：看到了小河里自己的倒影。 妈妈：小狗为什么生气地大叫？ 宝宝：小狗不知道河里的小狗是自己的倒影，以为河里的小狗要抢自己的骨头，所以大叫，想警告河里的小狗。

21

亲子共读 一起成长

故事名称	画面说明	亲子问答
我来帮忙	1. 莉莉帮正在炒菜的妈妈递酱油。 2. 莉莉帮下班回家的爸爸拿拖鞋。 3. 莉莉帮要看报纸的爷爷递老花镜。 4. 莉莉给奶奶盛一碗饭，端过去。	妈妈：莉莉的家里有几个人？ 宝宝：五个人。 妈妈：你觉得莉莉是一个什么样的小女孩？ 宝宝：莉莉是一个懂得照顾别人的小女孩。 妈妈：你喜欢莉莉吗？ 宝宝自主回答。
狐狸和鹤	1. 狐狸准备了汤，请鹤到家里喝汤。 2. 鹤的嘴巴又尖又长，喝不到汤。 4. 鹤也准备了汤，请狐狸到家里喝汤。 5. 狐狸的嘴巴又宽又大，喝不到汤。	妈妈：狐狸用的什么餐具装汤？ 宝宝：浅浅的盘子。 妈妈：鹤用的什么餐具装汤？ 宝宝：长颈瓶子。 妈妈：鹤离开狐狸家的时候为什么很生气？ 宝宝：因为狐狸故事意把汤装在浅浅的盘子里，让鹤喝不到汤。

故事名称	画面说明	亲子问答
小鸡落水了	1. 小鸡们跟着鸡妈妈寻找食物吃。 2. 小鸡们来到小河边，开始玩耍起来。 3. 一只小黄鸡不小心落水了，怎么办？ 4. 小黑鸡把河边的树枝伸进水里，想把小黄鸡捞上岸。小黄鸡没有抓住树枝，树枝顺水漂走了。 5. 小鸟想让小黄鸡抓住自己的脚，将小黄鸡带出小河。 6. 大家一起把一根长长的树枝推进了小河里，让小黄鸡顺着树枝上岸。	妈妈：谁不小心掉进了小河里？ 宝宝：小黄鸡。 妈妈：小鸟把小黄鸡拉出小河了吗？为什么？ 宝宝：没有。因为小黄鸡全身都湿了，小鸟拉不动小黄鸡。 妈妈：最后是谁救了小黄鸡？ 宝宝：鸡妈妈和小鸡们一起救了小黄鸡。
巨人的花园	1. 巨人看到孩子们在他的花园里玩儿，非常生气。 2. 巨人不许任何人进入花园。 3. 春天来了，但巨人的花园里还是冬天。 4. 几个小孩子从破洞里进入巨人的花园，春天也跟着进来了。 5. 巨人把一个不能爬上树的小孩子抱上树。 6. 巨人拆掉围墙和牌子，欢迎孩子们到他的花园里玩儿。	妈妈：巨人看到孩子们在他的花园里玩儿，为什么生气？ 宝宝：因为他很自私。 妈妈：巨人在牌子上写了什么字？ 宝宝：不许任何人进入花园。 妈妈：春天是怎么进入到巨人的花园里的？ 宝宝：春天跟着孩子们从破洞进入了花园。

23

图书在版编目（CIP）数据

宝宝学说话．讲长故事 / 卫英霞著 ；丁一绘 ． --
北京 ：北京日报出版社 ，2019.8
ISBN 978-7-5477-3364-6

Ⅰ．①宝… Ⅱ．①卫… ②丁… Ⅲ．①语言教学－学
前教育－教学参考资料 Ⅳ．① G613.2

中国版本图书馆 CIP 数据核字（2019）第 115059 号

宝 宝 学 说 话

出版发行：北京日报出版社

地　　址：北京市东城区东单三条 8-16 号东方广场东配楼四层

邮　　编：100005

电　　话：发行部：（010）65255876
　　　　　总编室：（010）65252135

印　　刷：武汉清霆彩印有限公司

经　　销：各地新华书店

版　　次：2019 年 9 月第 1 版
　　　　　2019 年 9 月第 1 次印刷

开　　本：889 毫米 ×1194 毫米　　　1/24

总 印 张：8

总 字 数：140 千字

总 定 价：108.00 元（全 8 册）